Mama Bird Papa Bird ™

Poj Noog, Lau Noog

Written by Wanda Obermeier
Illustrated by Faith Thomas
Edited by Anna Kaiser
Hmong Edition by Peter Yang
Spanish Edition by Lydia Fernandez-Wagner

Copyright © 2014 and 2015 Adnaw Publishing

Library of Congress for cataloging data available upon request.

ISBN: 978-0692-8902-0   ISBN:978-0-9963364-1-3 (Hmong)   ISBN:978-0-993364-3-7 (Spanish)

For more books written by Wanda Obermeier visit https://www.adnawpublishing.com

Printed in the United States of America by Worzalla, Stevens Point, Wisconsin

This book is dedicated

to Shiri Alice
- W.O.

to Mick, Hailey and Livvie
- F.T.

Puag thaum ub muaj ib tug
Lau noog thiab ib tug Poj noog.
Nkawd ua ib lub zes rau saum ib
tsob ntoo.

Once upon a time there was a
Papa bird and a Mama bird.
Together they built a nest in a tree.

Muaj ib hnub tus Poj noog cia li zaum nyob rau hauv lub zes. Tus Lau noog ya nrhiav khoom noj mus thiab los. Nws ya los tsev thiab muab cab rau tus Poj noog. (Qhov ntawd zoo li sibnwj rau koj thiab kuv). Tus Lau noog paub nrhiav khoom noj kawg. Nws ya mus thiab los ntawm lub zes, faib cov khoom noj rau tus Poj noog.

One day the Mama bird was just sitting in the nest. Papa bird was flying to and fro looking for food. He would fly home and give Mama bird a peck. (That's like a kiss for you and me). Papa bird was good at finding food, He would fly back and forth to the nest, sharing his catch with Mama bird.

Nyob rau hauv lub zes nws zaum, thiab zaum thiab oh ua cas, puas yog nws loj rog! Tsi ntev, tus Poj noog pom tej yam txawv. Nws cov plaub tsis tsham haum li qub lawm.

In the nest she sat, and sat, and oh boy, did she grow fat! Soon, Mama bird noticed something different. Her feathers did not quite fit the same.

Ces muaj ib hnub nws tshwm sim – tus Lau noog thiab tus Poj noog xav tsis thoob! Nyob rau hauv lub zes muaj ib lub qe me me kheej kheej. "Ua li cas nws ho nyob qhov ntawd?" Nkawd rov qab sib nug. Lub qe tsis muaj ceg, tsis muaj plaub, thiab tsis muaj kaus ncauj.

Then one day it happened - Papa bird and Mama bird were very surprised! In their nest was a small, round egg. "How did it get there?" They asked each other. The egg had no legs, no feathers and no beak.

"Zoo, kuv tsis paub xyov nws yog dabtsi, tabsis kuv mam li thaiv kom nws txhob txias, txhob ntub nag, thiab txhob raug lawg." Tus Lau noog pom tias nws tsis ua zog li, ces nws txaus siab cia tus Poj noog nyob tsev thiab puag kom sov.

"Well, I don't know what it is, but I'll protect it from the cold, rain and sleet." Papa bird noticed it did not move, so he was happy to let Mama bird stay home and keep it warm.

Tawg pleb! Ntawd yog dabtsi? Tawg pleb tawg-tawg-tawg! Tus Poj noog sawv thiab pom hais tias lub qe tawg pleb lawm! "Oh! Puas yog kuv ua nws tawg? Ua li cas rau kuv lub qe?" Mentsis mentsis, cov qhov pleb cia li pib qhib plho…

Crack! What's that? Crackity crack-crack-crack! Mama bird stood up and saw that the egg had now cracked! "Oh no! Did I break it? What's happening to my egg now?" Little by little, the cracks started to open…

Thiab tus Menyuam noog dhia plhawv tawm! "Oh ua cas koj ntxim hlub kawg li! Tos kom Lau noog pom koj kuv tus me ntxim hlub! Nws pheej ib txwm xav paub!"

And Baby bird jumped out! "Oh how lovely you are! Wait until Papa bird sees you my darling! He was always wondering!"

Ces tus Lau noog ya rov qab los rau ntawm lub zes. Nws nco qab nqa cov khoom noj tshaj zog. Tus Poj noog zoo siab tias tsis yog nqa khoom noj rau ob tug noog…

Then Papa bird flew back to the nest. He remembered to bring extra food. Mama bird was happy to see that instead of bringing food for two birds…

Nws muaj khoom noj ntau txaus peb tug! Tus Menyuam noog tshaib plab heev. Qhov ntawd yeej pom meej!

He had plenty of food for three!
Baby bird was hungry.
That was plain to see!

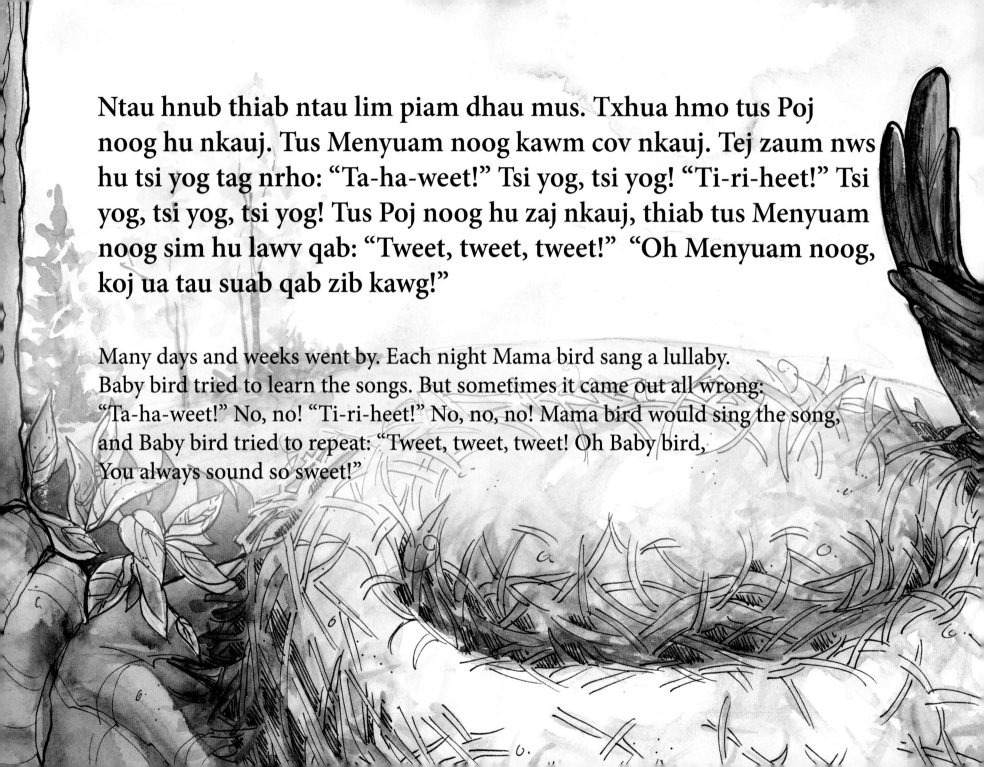

Ntau hnub thiab ntau lim piam dhau mus. Txhua hmo tus Poj noog hu nkauj. Tus Menyuam noog kawm cov nkauj. Tej zaum nws hu tsi yog tag nrho: "Ta-ha-weet!" Tsi yog, tsi yog! "Ti-ri-heet!" Tsi yog, tsi yog, tsi yog! Tus Poj noog hu zaj nkauj, thiab tus Menyuam noog sim hu lawv qab: "Tweet, tweet, tweet!" "Oh Menyuam noog, koj ua tau suab qab zib kawg!"

Many days and weeks went by. Each night Mama bird sang a lullaby.
Baby bird tried to learn the songs. But sometimes it came out all wrong:
"Ta-ha-weet!" No, no! "Ti-ri-heet!" No, no, no! Mama bird would sing the song,
and Baby bird tried to repeat: "Tweet, tweet, tweet! Oh Baby bird,
You always sound so sweet!"

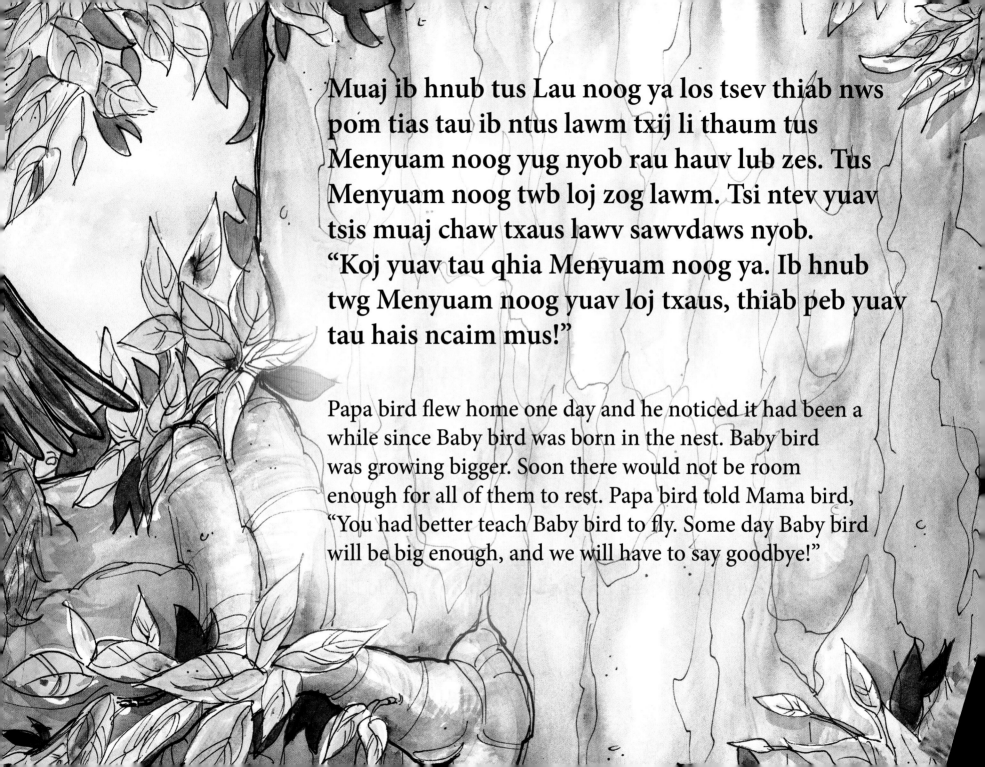

Muaj ib hnub tus Lau noog ya los tsev thiab nws pom tias tau ib ntus lawm txij li thaum tus Menyuam noog yug nyob rau hauv lub zes. Tus Menyuam noog twb loj zog lawm. Tsi ntev yuav tsis muaj chaw txaus lawv sawvdaws nyob. "Koj yuav tau qhia Menyuam noog ya. Ib hnub twg Menyuam noog yuav loj txaus, thiab peb yuav tau hais ncaim mus!"

Papa bird flew home one day and he noticed it had been a while since Baby bird was born in the nest. Baby bird was growing bigger. Soon there would not be room enough for all of them to rest. Papa bird told Mama bird, "You had better teach Baby bird to fly. Some day Baby bird will be big enough, and we will have to say goodbye!"

"Oh tsi yog," tus Poj noog xav. "Kuv yuav tau pib qhia Menyuam noog vim tias yog noog tsis ya, yuav ua cas lawv thiaj yuav ya tau mus pw hauv lawv lub zes?" Ces tus Poj noog ya tawm ntawm lub zes thiab tus Menyuam noog saib. Nws ntsia zoo li lom zem kawg! Tus Poj noog ya rov qab los thiab ib nyuag thawb tus Menyuam noog.

"Oh no," thought Mama bird. "I had better start teaching Baby because if birds don't fly, how will they reach their own nest for sleeping?" So Mama bird flew out of the nest and Baby bird was watching. It looked like such fun! Mama bird flew back and gave Baby bird a nudge.

Ploff! Tus Menyuam noog poob rau hauv av. Qhov ntawd twb tsis lom zem li. Tus Menyuam noog ntsia rov mus rau saud thiab hais tias, "Yuav ua li cas kuv thiaj rov qab tau rau saud?"

Ploff! Baby bird fell to the ground. That was not very fun. Baby bird looked all the way up and said, "How do I get back up?"

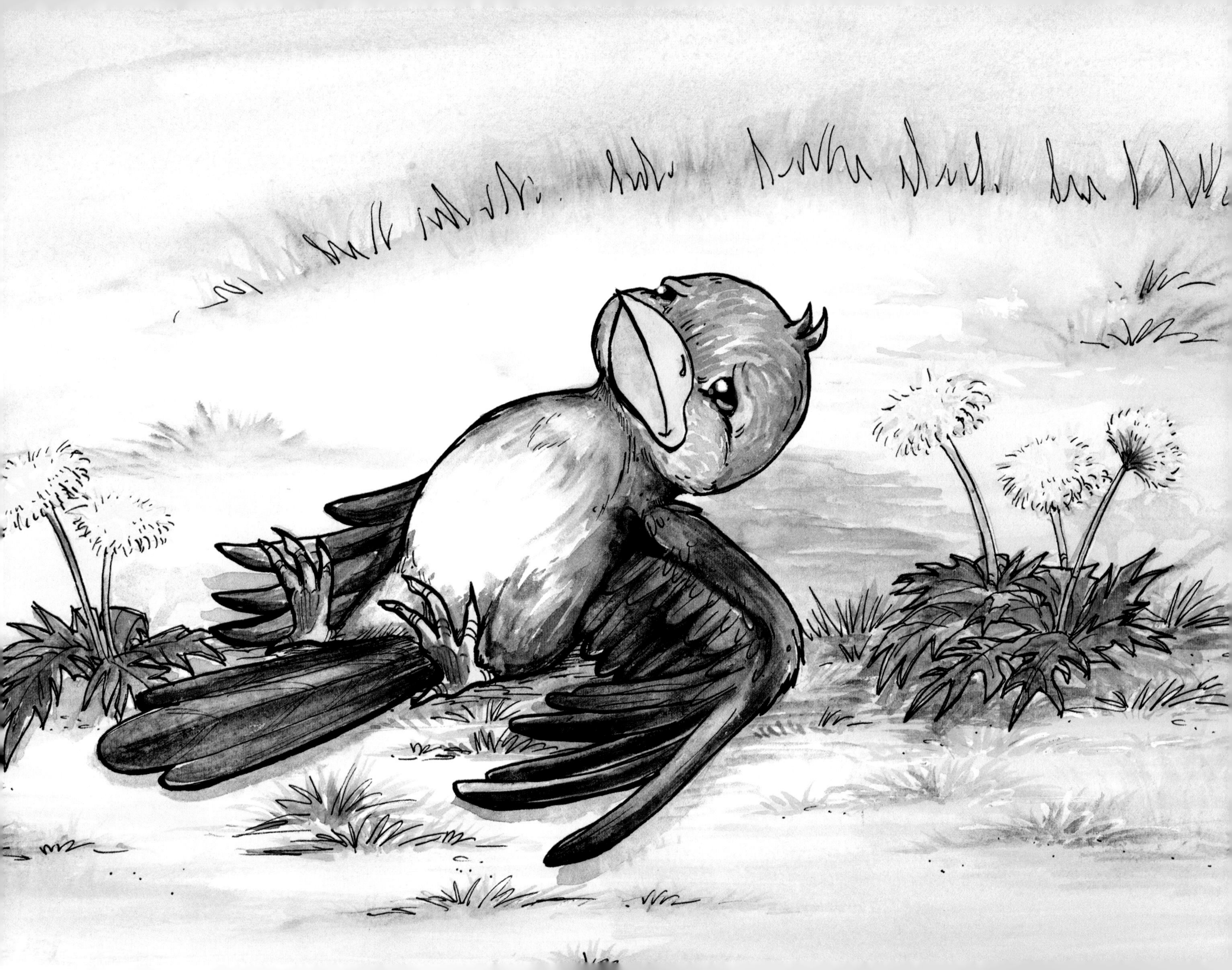

Tus Poj noog luag thiab nws ua suab nrov nrov. "Ntxuaj koj txhais tis zoo li kuv!" Thiab nws ya siab zus, siab zus, siab zus! Tus Menyuam noog luag thiab hnov qab qhov poob. Tus Menyuam noog pib ntxuaj tis, thiab tsis nwm li, tus Menyuam noog ya lawm thiab! Tus Menyuam noog xav qhia qhov xwm zoo no rau tus Lau noog!

Mama bird giggled and she squawked. "Flap your wings like me!" And she flew up, up, up! Baby bird was laughing and forgot about the fall. Baby bird started flapping, and in no time at all, Baby bird was flying too! Baby bird wanted to tell Papa bird the good news!

"Txiv, twv saib? Kuv ya tau ib yam li koj thiab Niam!" Tus Lau noog teev ib lub kua muag hauv nws qhov muag. Nws hais tias, "Tagkis, wb yuav mus yos khoom noj." Tus Poj noog hais tias, "Tsi tau, Menyuam noog yuav tsum nyob nrog kuv." Tus Lau noog hais tias, "Peb mam saib." Ces txhua tus noog ua li ntawd.

"Papa, guess what? I can fly just like you and Mama!" Papa bird had a tear in his eye. He said, "Tomorrow, we will hunt for food." Mama bird said, "No, Baby should stay here with me." Papa bird said, "We will see." And so it goes with every bird.

Ib txhia nyob tsev thiab saib lub zes, thiab
lwm tus ya puag ncig thiab coj khoom noj
rau txhua tus. Yog koj yog ib tug
menyuam noog, koj yuav ua li cas? Muaj
ib hnub, koj yuav ua li tus Poj noog lossis
tus Lau noog, thiab.

Some stay home and watch the nest,
and others fly around and bring food to all the rest.
If you were a baby bird, what would you do?

"lau thiab poj Nws yog tug tsim lawv…zoo heev"
Chivkeeb 1:27-31

"male and female He created them…it was very good"
Genesis 1:27-31